TEXTE : GILBERT DELAHAYE
IMAGES : MARCEL MARLIER

martine
à l'école

casterman

Lundi matin : les conversations sont animées dans la cour de l'école.

— Ce week-end, on a fait une énorme promenade à vélo.

— Moi, je suis restée à la maison, on s'est déguisés avec de vieux vêtements de Mammy pendant que Papa regardait la télévision.

— Montre ce que tu as dans ton panier, demande Martine à Stéphanie.

— C'est une souris blanche que j'ai gagnée à la foire.

— Une vraie ?

Martine n'a pas le temps d'interroger davantage son amie. La maîtresse appelle avec insistance les retardataires.

Chacun range ses affaires dans le vestiaire.

— Je vais cacher ma souris au-dessus de l'armoire, dit Stéphanie.

— Tu ferais mieux de garder cette bête à la maison. Ici, tu risques d'avoir des ennuis.

— Je ne peux pas à cause de mon chat. Mais, ce soir, j'irai la porter chez mon cousin Nicolas.

— C'est toi la nouvelle ? demande Martine.

— Oui, je m'appelle Cynthia... Je suis un peu perdue, tu sais.

— La classe est au fond du corridor. La maîtresse est sympa. Tu verras... Suis-moi. Je vais te guider.

— Voici Cynthia, dit Martine en entrant dans la classe avec la nouvelle élève.

Dans la classe, c'est un peu la fête. On l'attendait avec impatience. Quelques jours plus tôt, la maîtresse avait annoncé son arrivée.

— C'est une Indienne, dit François à l'oreille de Laurence.

— Tu n'en sais rien !

— Ça se voit bien !... La maîtresse nous en a parlé l'autre jour. Évidemment, tu n'as pas écouté !

— Cynthia, voici tes nouveaux compagnons : Martine, Stéphanie, François, Laurence... toute la classe, dit la maîtresse.

— Est-ce que Cynthia peut s'asseoir à côté de moi ?

— Oui. Mais il faudra que tu lui expliques un peu la vie de la classe... Maintenant regagnez vos places.

Nous allons commencer par la leçon de géographie et poursuivre notre découverte du monde.

— Qui sait où se trouve l'Inde ?

— L'Inde se trouve en Asie, Mademoiselle.

— Veux-tu nous montrer ce pays sur la mappemonde ?

— C'est ici, près de la Birmanie.

— L'Inde, c'est loin ? demande Martine.

— Bien sûr ! Il faut prendre l'avion pour y aller.

Près de l'école, se trouve la bibliothèque publique. L'institutrice y emmène régulièrement ses élèves. Ici on ne s'ennuie jamais. Dans la salle de lecture, on trouve des albums, des romans, des livres de science, des revues. Tous ces ouvrages sont numérotés, enregistrés, rangés dans les rayons.

On s'inscrit à l'entrée, auprès de la bibliothécaire :

— Pas tous en même temps, voulez-vous... Un peu de patience !

Martine aimerait emporter tous les livres de la bibliothèque.

— Il est chouette, celui-là. C'est une encyclopédie.

— Celui-ci, je l'ai lu. Il te plaira sûrement.

À la récréation, tous les élèves se retrouvent dans la cour...
Tiens, un petit qui pleure !
— Qu'est-ce que tu as ? Tu es tombé ?
— J'ai perdu mon ticket. Je ne pourrai pas déjeuner à la cantine.
— Ne t'inquiète pas. Tu vas le retrouver. Tu verras... Et toi, Sébastien, tu as mal à la tête ?...

— Je garde mon bonnet parce que j'ai toujours froid.
— Eh bien ! ne reste pas là, gros bêta ! Va donc jouer avec tes camarades. Ça te réchauffera. La récréation, c'est fait pour ça !
— Viens dans la ronde, viens vite, Martine ! dit Cynthia.
— François, David, Stéphanie, donnez-vous la main. Nous allons passer sous le pont. Par ici, par ici... suivez la chenille !

Finie, la récréation ! La maîtresse explique aux enfants le nouveau travail qu'ils auront à réaliser :

— Nous allons écrire une lettre au directeur du journal pour lui demander l'autorisation de visiter son imprimerie.

— Vous croyez que nous obtiendrons une réponse ?

— Est-ce que nous verrons comment on imprime le journal ?

— Cela dépendra de la façon dont vous rédigerez votre demande. Vous devez lui expliquer clairement ce que vous désirez : c'est le sujet de votre lettre. N'oubliez pas de terminer par une formule de politesse. Vous préparez le brouillon par groupes. Quand vous aurez terminé, nous choisirons les meilleurs textes. D'accord ?

Écrire une lettre, ce n'est pas si simple. Et pourtant, les idées ne manquent pas, mais François et Valérie ne sont pas d'accord sur le choix des mots.

— Il ne faut pas bouder, François ! Si tout le monde boudait, on ne pourrait plus travailler ensemble, dit la maîtresse.

Elle examine les copies et corrige les phrases boiteuses. Le brouillon terminé, il s'agit de recopier le texte. Valérie, qui a une belle écriture, fera cela très bien. Il ne restera plus qu'à rédiger l'adresse correctement sur l'enveloppe, sans oublier le code postal.

Bien sûr, en classe on fait du calcul, de la géographie, des dictées mais aussi du bricolage, des mimes et deux fois par semaine, de la gymnastique.

— Attrape le ballon, Martine! Non, pas comme ça. Avec les deux mains. Tu y arriveras, c'est une question d'entraînement.
Et maintenant, la culbute sur le cheval de bois :
— Allez, allez... Au suivant! c'est un exercice qui exige de la souplesse.
Emmanuel ne participe pas au cours cette semaine, parce qu'il a le bras fracturé. Il a été renversé par une moto.

À midi, on déjeune à la cantine. Chacun va chercher son plateau sur le comptoir : l'assiette garnie, les couverts, le pain... sans oublier le verre ni la paille pour boire un jus de fruit.

— Tu as une nouvelle copine ?

— Elle s'appelle Cynthia, répond Martine.

— Et ce ticket ?... Tu l'as retrouvé, Frédéric ?

— Oui, merci. Il était dans ma trousse.

— Ce garçon, que lui est-il arrivé ?

— Il s'est fracturé le bras. Il ne peut pas couper sa viande lui-même.

Cet après-midi, la classe est très excitée.

Les petits et les grands se réunissent en atelier collectif.

— Nous allons travailler un poème de Prévert, propose la maîtresse et ensuite nous l'illustrerons avec des dessins. Qui veut le raconter? Personne?...

— Je veux bien essayer, dit Martine.

— Parfait. Nous t'écoutons...

— C'est l'histoire de deux escargots qui vont à l'enterrement d'une feuille morte. Cela commence en automne. La pluie tombe. Le vent gémit. Dans le verger, les arbres sont en deuil.

— Que se passe-t-il ensuite ?

— Les escargots prennent le car pour Paris.

— Le car pour Paris ! En voilà une idée !

— Ils sont en retard. La route est longue... Quand ils arrivent, c'est déjà le printemps... Mais oui, le printemps !

— Évidemment, des escargots !... Et alors ?

— Alors, les feuilles qui étaient mortes sont toutes ressuscitées. Le soleil invite les escargots à s'asseoir. On trinque avec les amis des bois et des champs. Il y a des couleurs partout. C'est la fête.

Ainsi s'achève l'histoire des deux escargots. Il ne reste plus qu'à se mettre à l'ouvrage. Où est la gouache pour colorier le verger, les arbres, les animaux ? Attention, gare aux taches !

Les artistes en herbe confectionnent des tabliers avec des sacs en plastique. Ainsi leurs vêtements resteront propres...

Une fillette dessine des animaux curieux : les escargots ont des antennes qui ressemblent à des tulipes.

Cynthia dessine l'autocar des escargots. Il est jaune. Il n'avance pas vite, la route monte, monte.

François découpe les décors dans un prospectus : une maison avec un toit rouge et un verger tout autour. Les feuilles tombent : des jaunes, des rousses, des brunes.

Martine préfère le printemps, à cause des fleurs et des oiseaux.

— Est-ce qu'on peut emporter son dessin à la maison, Mademoiselle ?

— Moi aussi, j'aimerais le montrer à Maman.

— Bien sûr !... Nous allons exposer les travaux en classe. Ensuite vous pourrez les ramener chez vous.

Rangez tout dans vos cartons et rincez vos pinceaux. Il fait un temps magnifique. Profitons-en pour descendre à la rivière. Nous observerons ce qui se passe au bord de l'eau. Vous prendrez des notes dans votre cahier de rédaction...

— Est-ce qu'on pourra pêcher des épinoches, Mademoiselle ? demande François.

— Et des grenouilles ? ajoute Frédéric. J'en ai vu l'autre jour dans les roseaux. Elles ont des yeux comme des billes. Elles font des bulles et plongent pour attraper les insectes... plouf !

— Il faudra les remettre à l'eau. Sinon, plus d'œufs, plus de grenouilles, dit la maîtresse.

— Pourvu qu'on trouve des têtards ! Nous les rapporterons à l'école. On les mettra dans l'aquarium et, quand ils grandiront, nous les reverserons à la rivière.

Les têtards sont amusants. Ils zigzaguent. Ils frétillent. Ils ne restent jamais tranquilles.

— Qui va nettoyer l'aquarium ? Qui va renouveler l'eau régulièrement ? Si personne ne le fait, les têtards vont manquer d'oxygène et ils mourront, rappelle l'institutrice.

— Nous ferons le nécessaire. C'est promis, dit Martine.

La sonnerie retentit : c'est fini pour aujourd'hui. Les enfants rangent rapidement leurs affaires.

Il ne faut rien oublier, surtout pas son journal de classe ; sinon, pas moyen de faire ses devoirs à la maison. Gare aux têtes en l'air !

Les plus pressés sont déjà dehors. A la sortie de l'école, les parents attendent, des voitures font la file.

— Et alors, comment s'est passée cette première journée ? s'informe la maman de Cynthia.

— Regarde, maman, c'est Martine, ma nouvelle amie, répond celle-ci.

Les autres attendent le car. Les cartables s'entassent dans la cour de l'école. Stéphanie a récupéré son panier avec la souris blanche.

— Pourvu que Nicolas veuille bien la garder et qu'il ne la laisse pas échapper!

Voici le car! Le chauffeur rassemble les élèves à coups d'avertisseur.

Martine, le cartable sur le dos, enfourche sa bicyclette:

— Bonsoir!... A demain, Cynthia.

Elle est heureuse. Sa nouvelle copine a vraiment l'air sympathique!

— Au revoir, Martine! Surtout n'oublie pas de déposer la lettre à la poste... la lettre au directeur du journal.

Imprimé en Belgique par Casterman, s.a., Tournai. Dépôt légal : octobre 1984 ; D. 1986/0053/207.
Déposé au Ministère de la Justice, Paris (loi n° 49.956 du 16 juillet 1949 sur les publications destinées à la jeunesse).